La roca roja
Red Rock

Stephen Rabley

Pictures by Bob Moulder
Spanish by Rosa María Martín

Lara Jones vive en Australia.

Su papá, John Jones, es actor de cine.

Su mamá trabaja para una revista de moda.

Esta noche van a ver una nueva película.

Lara no ve mucho a su padre.

"Trabajas todo el tiempo, papá", dice.

"Bueno, Lara", dice John. "Empiezo una nueva película cerca de Uluru la semana próxima. Mamá y tú podéis visitarme allí."

Lara Jones lives in Australia.

Her dad, John Jones, is a movie star.

Her mum works for a fashion magazine.

Tonight they are going to see a new film.

Lara doesn't often see her father.

"You work all the time, Dad," she says.

"OK, Lara," says John. "I'm starting a new film
near Uluru next week. Mum and you
can visit me there."

Dos semanas después son las vacaciones de verano.
Lara está en el aeropuerto de Sydney con su mamá.
Está muy contenta. Van a Uluru.
Pero, de repente, suena el teléfono de su mamá.
Ésta escucha dos minutos. Su cara está blanca.
"Bueno, vuelvo a la oficina ahora mismo", dice.
"Lo siento, Lara. Hay un problema *muy* grande
en la revista. No podemos ir a ver a tu papá."

Two weeks later it's the summer holidays.
Lara is at Sydney airport with her mum.
She is very happy. They are going to Uluru.
But suddenly her mum's phone rings.
She listens for two minutes. Her face is white.
"OK, I'm coming back to the office now," she says.
"I'm sorry, Lara. There's a *very* big problem
with the magazine. We can't go to see your dad."

"Por favor, mamá", dice Lara. "Puedo ir sola."

"No. Eres demasiado joven", contesta su madre.

Mira el teléfono y entonces mira a Lara.

"Bueno, tengo una idea", dice.

"Voy a llamar a Kiku. Trabaja para tu papá.

Quizás *ella* pueda ir a buscarte al aeropuerto…"

"Gracias, mamá", dice Lara. "¡Qué buena idea!"

"Please, Mum," says Lara. "I can go on my own."

"No. You're too young," replies her mother.

She looks at her phone, and then she looks at Lara.

"OK, I have an idea," she says.

"I'm going to call Kiku. She works for your dad.

Maybe *she* can go to collect you at the airport…"

"Thanks, Mum," says Lara. "That's a great idea."

El avión llega tres horas más tarde. Kiku está allí.

"Hola, Lara. Soy Kiku. Mi coche está fuera."

Pronto ven una enorme roca roja en la distancia.

"Uluru", dice Lara. "¡Es preciosa!"

"Sí", dice Kiku, "y sale en la nueva película de tu padre. Mira detrás, en el asiento."

Lara coge una carpeta blanca del asiento trasero.

Lee la primera página.

"*La roca roja*", dice, y sonríe.

The plane arrives three hours later. Kiku is there.

"Hi, Lara. I'm Kiku. My car is outside."

Soon they see a huge red rock in the distance.

"Uluru," says Lara. "It's beautiful!"

"Yes," says Kiku, "and it's in your father's new film.
Look behind you, on the seat."

Lara takes a white folder from the back seat.

She reads the first page.

"*Red Rock*," she says, and smiles.

Llegan al lugar de rodaje. Todos están muy ocupados.
Lara ve a un hombre alto con barba gris.
"Ése es Tom van Buren", dice Kiku. "Es el director."
Diez segundos más tarde Tom grita: "¡Acción!"
Hay un ruido muy grande y mucho humo.
John Jones sale en coche de un edificio.
Lara sonríe. "¿Quién hace el humo, Kiku?"
"Sam Carter", dice Kiku. "Es un hombre estupendo.
¿Lo ves? Lleva un viejo sombrero azul."

They reach the film set. Everyone is very busy.

Lara sees a tall man with a grey beard.

"That's Tom van Buren," says Kiku. "He's the director."

Ten seconds later Tom shouts, "Action!"

There's a big bang and a lot of smoke.

John Jones drives out of a building.

Lara smiles. "Who makes the smoke, Kiku?"

"Sam Carter," says Kiku. "He's a great guy.

Can you see him? He's wearing an old blue hat."

Hace mucho calor y Lara tiene sed. Ve a Sam Carter.

"Hola, soy Lara Jones", dice.

Sam sonríe. "Mucho gusto, Lara. Yo soy Sam."

"Por favor, Sam, ¿dónde hay agua?"

Sam señala. "Mira. Está allí."

A los diez minutos Lara vuelve al lugar de rodaje.

Ve a dos hombres. Ellos no la ven.

Uno dice: "El coche está listo. ¿Y la granja de Hooper?"

"Todo está bien allí también", contesta el otro hombre.

It's very hot and Lara is thirsty. She sees Sam Carter.

"Hello, I'm Lara Jones," she says.

Sam smiles. "Nice to meet you, Lara. I'm Sam."

"Please, Sam, where can I find some water?"

Sam points. "Look. It's over there."

Ten minutes later Lara is returning to the set.

She sees two men. They don't see her.

One says, "The car's ready. What about Hooper's Farm?"

"Everything's OK there, too," replies the other man.

Un poco más tarde, Lara ve a su padre.

"¿Te diviertes, Lara?" pregunta.

"Sí, mucho, gracias, papá", contesta Lara.

John Jones sonríe. "Bueno, ahora necesito una ducha.

Entonces tengo una reunión con el director.

Podemos comer después, tú y yo solos, ¿vale?"

"Claro, papá", dice Lara. Está muy contenta.

14

A moment later Lara sees her father.

"Are you having fun, Lara?" he asks.

"Yes, I am – thanks, Dad," replies Lara.

John Jones smiles. "OK, I need a shower now.

Then I have a meeting with the director.

We can have lunch after that, just you and me, OK?"

"Fine, Dad," says Lara. She is very happy.

Cuando vuelve, Kiku dice: "¿Todo bien, Lara?"

"Sí, gracias", dice Lara. "¿Quieres agua?"

Es la una menos cuarto.

Todos esperan a John.

A la una y cuarto Tom van Buren dice: "¿Dónde está?

Kiku, ve a buscarlo, por favor."

"Sí, señor van Buren", dice Kiku.

When she returns Kiku says, "Is everything OK, Lara?"

"Yes, thanks," says Lara. "Do you want some water?"

It's quarter to one.

Everyone waits for John.

At quarter past one Tom van Buren says, "Where is he? Kiku, go and find him, please."

"Yes, Mr van Buren," says Kiku.

Después de dos minutos, Kiku vuelve.

Lleva un papel en la mano.

"No está en su caravana", dice. Está preocupada.

Da el papel a Tom van Buren.

Lo lee en alto. *"Tenemos a John Jones.*

Queremos cinco millones de dólares.

Vamos a llamar a las seis."

Tom van Buren mira a Kiku. Está muy asustado.

"No es posible", dice. "No puede ser verdad."

After two minutes Kiku returns.

She is holding a piece of paper in her hand.

"He's not in his caravan," she says. She is worried.

She gives the piece of paper to Tom van Buren.

He reads it aloud. *"We have John Jones.*

We want five million dollars.

We are going to call you at six o'clock."

Tom van Buren looks at Kiku. He is shocked.

"This isn't possible," he says. "It can't be true."

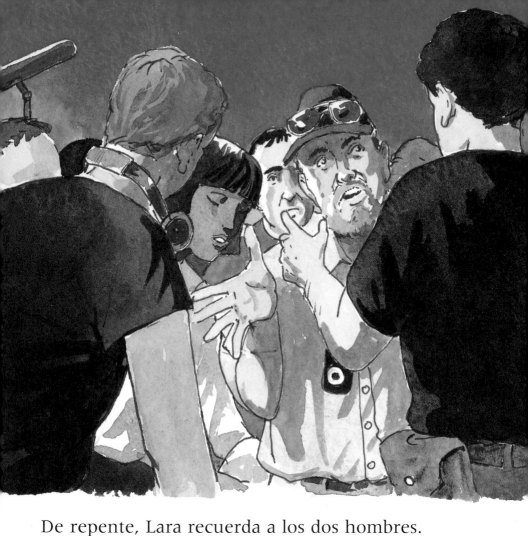

De repente, Lara recuerda a los dos hombres.

¡Quizás son los secuestradores!

Todos hablan a Tom van Buren.

"Tenemos que llamar a la policía", gritan.

"Perdonen", dice Lara. "Por favor, señor van Buren…"

Pero él no la oye. Lo intenta otra vez. Es imposible.

Lara tiene miedo. "Mi papá está en peligro.

Quiero ayudarle. *¿Qué puedo hacer?*"

Suddenly Lara remembers the two men.

Maybe they're the kidnappers!

Everyone is talking to Tom van Buren.

"We must call the police," they cry.

"Excuse me," says Lara. "Please, Mr van Buren…"

But he doesn't hear her. She tries again. It's impossible.

Lara is frightened. "My dad is in danger.

I want to help him. *What can I do?*"

Lara empieza a llorar. Sam Carter la ve.

"Es terrible", dice. "Lo siento mucho."

Entonces Lara le habla de los dos hombres.

"Mi hermana vive cerca de la granja de Hooper", dice Sam.

"Está sólo a media hora de aquí."

"Tengo que ir allí ahora", dice Lara.

"No puedo esperar a la policía. ¿Puedes ayudarme?"

"Sí, claro", dice Sam. "¡Sígueme!"

Lara starts to cry. Sam Carter sees her.

"This is terrible," he says. "I'm very sorry."

Then Lara tells him about the two men.

"My sister lives near Hooper's Farm," says Sam.

"It's only half an hour from here."

"I need to go there now," says Lara.

"I can't wait for the police. Can you help me?'

"Yes, of course," says Sam. "Follow me!"

En la camioneta de Sam, Lara recuerda algo.
"¡Espera!" dice.
Rápidamente escribe una nota para Tom van Buren:
Sam y yo estamos en la granja de Hooper.
Dígaselo a la policía. Lara.
Pone la nota en el buzón de la caravana de Tom
y vuelve corriendo a la camioneta.
Sam conduce rápidamente hacia la granja de Hooper.

In Sam's truck, Lara remembers something.

"Wait!" she says.

Quickly she writes a note for Tom van Buren:

Sam and I are at Hooper's Farm.

Tell the police. Lara.

She puts the note in the letterbox outside Tom's caravan
and runs back to the truck.

Sam drives fast to Hooper's Farm.

La vieja granja está en silencio. Lara tiene miedo.

"¡Mira!" susurra. Puede ver a su padre.

Los dos secuestradores están en una habitación diferente.

"¿Qué hacemos ahora?" pregunta Lara.

"Tengo una idea", dice Sam. "¡Espera aquí!"

Después de unos minutos, vuelve
con la máquina de humo.

Pronto, la habitación se llena de humo.

Los secuestradores salen corriendo de la casa.

The old farmhouse is very quiet. Lara is scared.

"Look!" she whispers. She can see her father.

The two kidnappers are in a different room.

"What do we do now?" asks Lara.

"I've got an idea," says Sam. "Wait here!"

After a few minutes, he comes back
with the smoke machine.

Soon the room fills with smoke.

The kidnappers run out of the house.

En ese momento llegan dos coches de policía.

"¿Eres tú Lara Jones?" pregunta la agente de policía.

"Sí, soy yo", dice Lara. "Mi papá está en la casa.

¡Por favor, ayúdele!"

Cinco minutos después John Jones está libre.

Los policías detienen a los secuestradores

y los meten en el coche de policía.

At that moment two police cars arrive.

"Are you Lara Jones?" asks the police officer.

"Yes, I am," says Lara. "My dad's in the house.
Please help him!"

Five minutes later John Jones is free.

The officers arrest the kidnappers
and they put them in the police car.

Un año más tarde, John gana un Óscar por *La roca roja*.
Lara, su mamá, Kiku y Sam lo están mirando.
"Éste es un día especial", dice.
"Y quiero dar las gracias a una persona muy especial.
Veis, yo soy sólo un héroe en las películas.
La heroína real aquí, esta noche, es mi hija.
¡Lara, esto es para ti!"

One year later, John wins an Oscar for *Red Rock*.

Lara, her mum, Kiku, and Sam are all watching him.

"This is a special day," he says.

"And I want to thank a very special person.

You see I'm only a hero in the movies.

The real hero here tonight is my daughter.

Lara – this is for you!"

Quiz

You will need some paper and a pencil.

1 Here are some vehicles from the story. Copy the pictures and write the Spanish words. They are on pages 8 and 28.

un .... dos ....

2 Match the beginnings and endings to make true sentences about the story.

1 La mamá de Lara	es director de cine.
2 El papá de Lara	trabaja para John Jones.
3 Sam Carter	es actor de cine.
4 Tom van Buren	trabaja para una revista de moda.
5 Kiku	conduce una camioneta.

3 Who says it? Find the names, then say the sentences.

1 "Trabajas todo el tiempo."

2 "Eres demasiado joven."

3 "No está en su caravana."

4 "Es terrible. Lo siento mucho."

5 "Quiero dar las gracias a una persona muy especial."

Esto es para ti.

This is for you.